Mis animales favoritos

1

El león

EL PAIS

El rey de los animales

¡Vaya gato!
El más grande de todos

LA SABANA AFRICANA
Así se llaman las grandes llanuras de hierba donde vive el león.

No me busques en la selva

El león es un felino. Es decir, pertenece a la misma familia que el gato. En realidad, un león es como un gato, pero 40 veces más grande. 🐾

Los felinos se parecen mucho entre sí. Son ágiles cazadores, con enormes dientes y un denso pelaje.

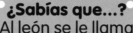

¿Sabías que...?
Al león se le llama el rey de las bestias. Su imagen se ha asociado con el poder y la nobleza a lo largo de la historia.

EL JAGUAR
Se le encuentra en las selvas de Suramérica y Centroamérica. Es un gran nadador.

EL TIGRE
Vive en Asia y suele ser un poco más grande que el león. Su piel es listada.

EL LEOPARDO
También llamado pantera. Vive en África y Asia. Los hay con manchas y otros totalmente negros.

EL IRBIS
Es más conocido como pantera de las nieves, pues vive en las altas montañas del Himalaya.

El más fuerte

El rey de los animales

Al contrario de la mayor parte de felinos, el león adulto no tiene la piel moteada. Los cachorros sí.

CUERPO DE CAZADOR
Pese a su gran tamaño, el león es ágil, rápido y salta con gran precisión.

A la carrera

¿Sabías que...?
Ni el hombre más rápido del mundo le ganaría una carrera a un león. Alcanza los 60 km por hora.

Pocos animales pueden competir en fuerza y belleza con el león. Los machos son más grandes que las hembras y, a diferencia de éstas, lucen una preciosa melena. 🐾

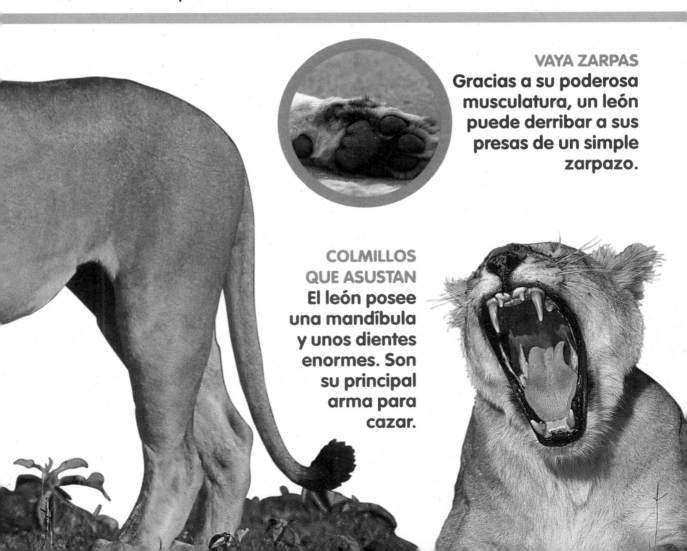

VAYA ZARPAS
Gracias a su poderosa musculatura, un león puede derribar a sus presas de un simple zarpazo.

COLMILLOS QUE ASUSTAN
El león posee una mandíbula y unos dientes enormes. Son su principal arma para cazar.

Costumbres

Grandes dormilones

Los leones están activos sobre todo por la tarde y la noche. Cuando hace menos calor.

POR LAS RAMAS
Los leones son buenos trepadores. No dudan en subirse a las ramas de un árbol para vigilar o echarse una siesta.

Los leones se pasan entre 18 y 20 horas al día descansando. En la llanura africana hace mucho calor, y cazar exige un enorme esfuerzo físico. Por ello hay que ahorrar energías. 🐾

¿Sabías que...?
Los leones no comen todos los días. En realidad, lo hacen sólo un par de veces por semana.

CUIDADO
Aunque el león parezca profundamente dormido, sus sentidos siguen alerta.

UN PRESUMIDO
Como buen gato que es, al león le irrita la suciedad. Por eso siempre se lame las zarpas después de una buena comida.

Siempre alerta

El amo del territorio

Nada escapa a la atención del león en la llanura de hierba. Su vista, su oído y su olfato resultan prodigiosos.

ABUSÓN

Aunque no caza, el macho es siempre el primero a la hora de comer. Por algo es el más fuerte. Después lo hacen las hembras.

RUGIDOS

El jefe de la manada ruge ferozmente para recordar a todos quién es el rey y para marcar su territorio. Sus rugidos se escuchan a kilómetros de distancia.

La tarea de conseguir alimento para la manada corre a cargo de las hembras. Los machos, excepto los solitarios, cazan muy raramente. Su principal función es defender al grupo. 🐾

El león macho patrulla por sus dominios marcando el territorio con olores y arañazos.

LA MELENA
La espléndida melena que lucen los machos es un símbolo de poder que los otros leones identifican fácilmente.

La manada

La vida en grupo

VIDA EN SOLITARIO

También existen leones solitarios. Suelen ser machos jóvenes, de 2 años, que han sido expulsados de la manada.

GRANDES GRUPOS

En sitios donde abunda la caza, pueden formarse manadas de hasta 50 leones. Siempre manda el macho más fuerte del grupo.

A diferencia del resto de felinos, los leones viven en grupos familiares. Una manada de leones suele estar formada por varios machos adultos y entre 10 y 12 hembras con sus crías. 🐾

TERRITORIALES
Cada manada domina un territorio de caza y no deja que otros grupos se acerquen.

Cachorros

La familia crece

HIGIENE
Unos buenos lametones permiten a las leonas tener siempre limpios a sus cachorros.

¡Qué tragones son!

Las leonas traen al mundo entre dos y cinco cachorros. Durante las primeras semanas de vida, los pequeños no harán otra cosa que dormir, corretear y beber leche de su mamá. 🐾

INDEFENSAS

Cuando mamá se va a cazar, las crías deben esconderse para evitar el peligro.

CON TODA SUAVIDAD

Para llevar a los cachorros de un sitio a otro, mamá leona los sujeta con la boca. No les hace ningún daño.

¡A crecer!

Comer, jugar y aprender

Cómo cansa jugar

MIDIENDO LAS FUERZAS

Al perseguirse y pelearse, los leoncitos aprenden a cazar y a sobrevivir. Al año, perderán el pelaje infantil y los dientes de leche.

¿Sabías que...?
Los cachorros no participan en las cacerías hasta cumplir un año. Su vida no es fácil. Sólo comen lo que dejan los adultos.

A partir de los 3 meses de edad, los jóvenes leones empiezan la etapa de aprendizaje. Aunque parezca que están siempre jugando, en realidad se preparan para la vida de adulto. 🐾

AMOR MATERNAL

Los machos adultos suelen tener mal carácter. Los cachorros prefieren quedarse junto a sus mamás y sus tías, que son las encargadas de cuidarlos.

Luchadores

El más fuerte

Si quien vence es el león intruso, la manada tendrá un nuevo jefe.

ESPECTADORAS
Las hembras no entran en las peleas de los machos. Si dos leones luchan entre sí, ellas se mantendrán al margen.

Cuando uno o varios machos solitarios llegan a los dominios de una manada, el jefe del grupo sale a su encuentro. Si no se retiran, los ataca.

Pero si el león dominante logra expulsar al invasor, el clan familiar seguirá su vida normal.

Aquí mando yo

Sus presas

Cazar para comer

JIRAFAS

Cuando beben, son vulnerables. Por eso intentan no demorarse junto al agua.

ÑÚES

Junto con las cebras, forman manadas de miles de ejemplares. Son una de las presas favoritas del león.

ANTÍLOPES

Son mucho más rápidos y resistentes que los leones, por lo que resulta muy difícil atraparlos.

CEBRAS

Si están juntas, el león sólo percibe una gran mancha de franjas. Es su única defensa.

Gracias a su fuerza y al trabajo en grupo, las leonas pueden abatir todo tipo de presas. Nunca matan por gusto, sino porque necesitan comer carne.

Las leonas se acercan a su presa ocultas en la hierba. Cuando están a unos 50 m, corren hacia el animal y lo derriban.

¿Sabías que...?
Si la leona falla su ataque, deberá reposar casi media hora para recuperarse.

Enemigos
Del gran felino

RINOCERONTE
Los leones prefieren mantenerse alejados de este gigante de la sabana. Tiene mal genio y poca paciencia.

ELEFANTE
Los elefantes no dudan en lanzarse contra los leones que se aproximan demasiado.

Los elefantes, los rinocerontes y los búfalos son los únicos animales que plantan cara a los leones. Sin embargo, también son presa del gran felino.

HIENAS

En ocasiones atacan en grupo a los leones enfermos o viejos y a las hembras solitarias.

BÚFALO

Los cuernos del búfalo son como puñales afilados. Por ello los leones sólo lo atacan si están muy hambrientos.

¿Sabías que...?
Los leones comen ocasionalmente carroña y roban muchas veces la comida que cazan otros animales.

En peligro

Cada vez son menos

Aunque el león es una especie protegida, son muchos los ejemplares que cada año son abatidos por los cazadores.

UN TRISTE FINAL

Se calcula que en el mundo sólo quedan unos 30.000 leones salvajes. En realidad, existen más leones cautivos que en libertad.

LOS GUERREROS MASAI

La caza del león forma parte de la tradición cultural de este pueblo desde tiempos remotos. Con ella intentan demostrar su valor y su fuerza.

La caza y la ocupación de los espacios salvajes por parte del hombre han provocado la extinción del rey de las bestias en muchas regiones de África.

Afortunadamente, en nuestros días la mayor parte de la gente que va de safari a África lo hace con una cámara de fotos y no con una escopeta.

Glosario

El león de la A a la Z

AGAZAPARSE
Esconderse pegando el vientre
contra el suelo. Lo hacen sobre todo
los animales que cazan al acecho,
como los felinos.

BIGOTES
Son pelos largos y muy sensibles
que tienen los felinos junto al hocico.
Los utilizan para orientarse y conocer
su entorno.

CARNÍVOROS
Son aquellos animales que comen
carne y que, por lo tanto, cazan
a otros animales para comer.
Los leones son carnívoros.

CARROÑEROS
Son los animales que no cazan
y comen los restos de carne
que otros han abandonado.

ESTAMPIDA
Es la carrera alocada que emprende un grupo de animales cuando intenta huir de un lugar.

FÉLIDOS
Familia de mamíferos carnívoros a la cual pertenecen el gato y el león, entre otros.

MAMÍFEROS
Son los animales que alimentan a sus crías con leche materna. El ser humano, por ejemplo, es un mamífero.

MANADA
Grupo de animales de una misma especie que andan juntos.

MANDÍBULA
Son los huesos que forman la boca y sobre los que están montados los dientes. Para masticar, abrimos y cerramos la mandíbula.

PRESAS
Son los animales a los que los carnívoros dan caza para alimentarse.

RUGIDO
Es el sonido propio de los felinos más grandes, como el león y el tigre. Los otros felinos chirrían, gruñen o maúllan (como el gato).

SABANA
Gran extensión de hierba con muy pocos árboles característica de África. En otros sitios recibe el nombre de pradera.

ZARPAS
Son las manos de algunos animales. Los dedos de las zarpas no pueden moverse de forma independiente.

Conócelo mejor

LEÓN
Panthera leo

Clase: mamíferos
Orden: carnívoros
Familia: félidos

Peso: de 160 a 230 kg (machos);
de 130 a 180 kg (hembras)
Altura: de 95 a 120 cm (machos);
de 85 a 90 cm (hembras)
Longitud: de 225 a 260 cm (machos);
unos 200 cm (hembras)
Cola: 1 m, aproximadamente

Longevidad: de 15 a 20 años
Gestación: de 105 a 120 días
Camada: de 2 a 5 cachorros

Hábitat: sabana africana
Geografía: África

Una fábula

El león y el ratón

Basado en la fábula de Esopo

Mientras el león dormía, un diminuto ratón tuvo la mala idea de subirse a su cabeza y corretear despreocupado por aquella frondosa melena. Le resultaba divertido abrirse camino por entre mechones de pelo tan tupidos y guedejas tan ensortijadas.

El felino, que tenía muy mal carácter, no tardó en despertarse y, muy enojado, atrapó al ratón con sus enormes zarpas.

–Ahora te vas a enterar –dijo el león–, aunque eres pequeño e insignificante, me servirás de merienda.

Y abriendo sus enormes fauces, se llevó el ratoncito a la boca.

–No lo hagas, por favor –le dijo el ratón muy asustado–, soy demasiado pequeño para satisfacer tu hambre. Si no me devoras y me dejas libre,

prometo que un día te devolveré el favor. Piénsalo, león.

–¿Devolverme el favor? Ja, ja, ja –le respondió el león al tiempo que soltaba una estruendosa carcajada–, pero si lo único que sabes hacer es roer queso.

Entonces el ratoncito se echó a llorar.
–Bueno –dijo el león–, por esta vez te dejaré

marchar. Y abriendo la zarpa, dejó caer al suelo al pobre animalillo.

El ratón respiró aliviado y, tras hacer una reverencia al león, salió corriendo.

–No lo olvidaré –gritó mientras se alejaba.

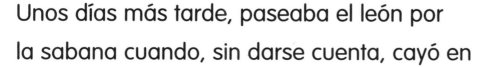

Unos días más tarde, paseaba el león por la sabana cuando, sin darse cuenta, cayó en

la trampa que le habían preparado unos
cazadores. Al pisar una rama, una enorme red
cayó sobre su cabeza y lo atrapó.

–¡Ayuda, ayuda! –comenzó a gritar el león.

Pero como todos temían al león,
nadie se acercó a ayudarlo. Bueno,
nadie no. Dio la casualidad de que
por allí se encontraba aquel pequeño

ratón que, al oír la llamada de auxilio del felino, fue corriendo al lugar para ver qué es lo que estaba sucediendo.

–Hola, ratón –dijo el león al verlo llegar–. ¿Puedes hacer algo para soltarme?

Y sin pensárselo dos veces, el pequeño roedor empezó a mordisquear con sus pequeños pero afilados dientes las cuerdas que formaban aquella

red. No fue un trabajo fácil, pero, finalmente, el león quedó libre.

—Veo que yo estaba equivocado y te pido perdón —exclamó el león—. No se puede despreciar a nadie por su tamaño.

Y así, el león y el ratón se dieron un fuerte abrazo y se hicieron muy amigos.

Fin

Actividades

¡Qué animalada!

Nuestro amigo hizo tan mal las fotos que ahora no sabe a qué animales corresponden. ¿Lo ayudas?

Busca las presas

Encuentra los animales que las leonas cazan para alimentar a la manada: ANTÍLOPE, ÑU, CEBRA y JIRAFA.

J	I	R	A	F	A	M	E	S
O	N	T	U	I	L	P	O	N
A	S	I	P	M	O	R	L	A
C	E	M	L	L	I	A	Ñ	U
E	F	O	I	E	B	G	E	P
B	I	T	A	J	R	O	L	E
R	N	E	Z	A	S	T	I	S
A	U	S	R	E	M	A	O	I

Lección de zoología

Escribe en los círculos una V si la frase es verdadera o una F si es falsa.

○ El león es un animal mamífero y carnívoro.

○ La mandíbula y los dientes del león son pequeños.

○ Los leones duermen entre 18 y 20 horas al día.

○ El león va a cazar mientras la leona cuida a las crías.

○ A las leonas no les importa cuidar a otros cachorros.

○ Los leones adultos suelen tener mal carácter.

○ Las hembras luchan igual que los machos.

○ El león caza sólo para comer.

Busca las diferencias

Estas dos fotografías parecen iguales, pero entre ellas hay cinco diferencias. Señálalas en la foto de la derecha.

Encuentra el camino

El león quiere comerse al ratón porque le ha molestado mientras dormía, pero no sabe cómo llegar hasta él.

Dibuja y colorea

Demuestra que eres todo un artista completando el dibujo de este león y dándole un poco de color.

Resuelve el crucigrama

Lee las frases atentamente y escribe las soluciones en sus correspondientes casillas numeradas.

Horizontales

(1) Pertenecen a esta familia, además del león, el tigre, el leopardo e incluso el gato.

(2) La forman un león adulto y entre tres y cinco leonas con sus crías.

(3) Las leonas traen al mundo entre dos y cinco.

Verticales

(1) Es más pequeña que el león y no tiene melena.

(2) Lo hacen los leones para alimentarse.

(3) El león lo hace muy fuerte para recordar a todos quién es el rey.

Identifica estos felinos

Identifica algunos miembros de la familia. Escribe TIGRE, IRBIS, LEOPARDO, JAGUAR y GATO donde corresponda.

Soluciones

● Página 38

1. Leopardo
2. Elefante
3. Cocodrilo

4. Rinoceronte
5. Tigre
6. Cebra

● Página 39

J	I	R	A	F	A	M	E	S
O	N	T	U	I	L	P	O	N
A	S	I	P	M	O	R	L	A
C	E	M	L	L	I	A	Ñ	U
E	F	O	I	E	B	G	E	P
B	I	T	A	J	R	O	L	E
R	N	E	Z	A	S	T	I	S
A	U	S	R	E	M	A	O	I

● Página 40

De arriba abajo:
Verdadero, falso, verdadero,
falso, verdadero, verdadero,
falso, verdadero.

● Página 41

Página 42

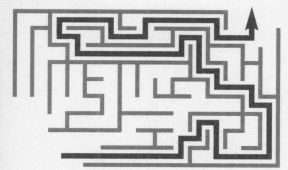

Página 44

								3
		1						R
1	F	E	L	I	N	O	S	R
		E						U
		O				2		G
		N				C		I
2	M	A	N	A	D	A		R
						Z		
						A		
3	C	A	C	H	O	R	R	O	S

Página 45

Tigre, gato, jaguar, leopardo, irbis.

editorial**Sol90**

MIS ANIMALES FAVORITOS
© 2006 Editorial Sol 90, S.L. Barcelona
© De esta edición 2006, Diario El País, S.L. Miguel Yuste, 40, 28037 Madrid
Todos los derechos reservados
ISBN: 978-84-9820-417-9 / 84-9820-417-8
Depósito legal: M-33234-2006
Impreso y encuadernado en UE